Eugène Carrière

Eugène Carrière

1849–1906

MAY–JUNE 1970

MARLBOROUGH FINE ART (LONDON) LTD
39 Old Bond Street, London WIX 4BY
Telephone: 629 5161, Cables: Bondartos London
Telex no. 266.259

Associated Galleries

MARLBOROUGH GALLERY INC
41 East 57th Street, New York 10022
Telephone: 752-5353, Cables: Bondartos New York

MARLBOROUGH GALLERIA D'ARTE
Via Gregoriana 5, 00187 Rome
Telephone: 684.678, Cables: Bondartos Rome

Some of the works are for sale
Prices on application

The Directors of Marlborough Fine Art (London) Ltd. wish to express their gratitude to the following Museums and Private Collectors for their generous contribution to this Exhibition:

Musée de Pontoise
Musée de Saint-Cloud
National Museum of Wales, Cardiff

M. et Mme Paul Aubry, Paris
Mme Constance Coline, Paris
Mme J. Dumesnil-Nora, Paris
M. Jean-Gabriel Faure, Paris
Mr. Samuel Josefowitz, Lausanne
M. Ivan Loiseau, Paris
Miss Mary Moore, Much Hadham, Hertfordshire
Professeur Charles Oulmont, Paris
M. Claude Roger-Marx, Paris
Mlle Céline Séailles, Paris
M. Jean Séailles, Paris
M. Le Sidaner, Paris

The Directors are especially grateful to Professeur Charles Oulmont and Monsieur Claude Roger-Marx for their enthusiastic support of this first major Retrospective Exhibition in London and warmly thank them for their valuable introductions to the catalogue.
The Exhibition would not have been possible without the help and advice of the Artist's son, Monsieur Jean-René Carrière and they are indebted to him for the authentication and dating of the works.
They would also like to thank Mlle Berryer, Brussels and Monsieur Yves Hémin, Paris for their kind assistance in locating paintings and securing loans. Special thanks are also due to Mr. William Gaunt for his translation of the introductions and chronology.

Eugène Carrière   *by Claude Roger-Marx*

What a moving study could be written on the inevitable reaction that causes one generation to rebel against those which have gone before! Few are the great artists or great writers who have escaped this ungrateful period of varying duration. Degas, Rodin, Monet, Renoir were all subjected to such estrangement for a while before attaining a renown even greater than they had belatedly received in their lifetime.

Thus it has been with Eugène Carrière whom his contemporaries esteemed so highly. That injustice to him has been prolonged can be easily explained. Everything about him tends to exalt what art – in the last fifty years especially – has tragically renounced.

Carrière, like Odilon Redon (who, however, had no great admiration for him) came to appear a positive anomaly. This was due both to his unshakeable conviction that painting is only a means of revealing the inner workings of mind and heart and to the austerity of his technique and modes of expression. The obsession with colour and all the sensuality and artifice that it implied was already beginning to predominate in the time of these two artists. As Redon observed, art had a 'low ceiling'. To speak of an inner life with regard to a painting or work of sculpture elicited a smile from the type of person who would complacently regard da Vinci, Dürer, Rembrandt, Delacroix, Daumier or Millet as literary-minded individuals who had missed their vocation.

Yet if ever there was a master whose care for plastic values matched his intellectual preoccupations, it was Carrière. He was a master who thanks to his chiaroscuro, or *clair-obscur* – that magic word, the hyphen of which inseparably links the known and the unknown – was always intent on the visible world he observed. He is one whose work, almost without exception, is dedicated to woman, to man, to the child, to the hearth (another word suggesting so well the radiant warmth of an environment at once physical and of the mind; significant also of the daily round of those to whom affection or the ties of blood give the illusion of being united forever).

It is almost entirely from his own hearth that Carrière derives the warmth of his art. His wife, himself and the likenesses of both that their six children perpetuated; his friends – Puvis de Chavannes, Rodin, Verlaine, Edmond de Goncourt, Rochefort, Daudet, Anatole France, Geffroy, Roger-Marx, Devillez – were the instruments of his double effort of analysis and synthesis. This effort gives its encircling and protective embrace to the mother and the new-born babe that she suckles or nurses; a nude in the splendour of nature; a woman taking the sacrament; a girl at her toilet; an assembled audience; or a Christ on the cross.

Thinly charged with paint, his brush brings from out of the shadows the essentials of a being – that is to say the features that stand for thought. Brows, temples, a glance, a smile, hands – all that to the eye of this visionary is seen as much in terms of sculpture as of painting, becomes like marble modelled at the same time from outside and within.

As on a mountain, mist suddenly parts, allowing a fragment of landscape to appear in clear relief, so from the cloudiness of ash-blonde, dull gold, amber, velvety-black emerge visages singly or together, the effect heightened slightly by a touch of carmine or tender pink; wondering, anxious or meditative, turned towards the past or the future, seemingly caught up in a dream more living than reality.

One cannot too much emphasize the connection that Carrière excels in tracing between the individual and the milieu (or as it is now described 'environment'), and the way in which he reconciles in unity the disparate elements, product of contrasting heredities, that come together in most countenances.

Everything in his art aspires to the unity of a complete form and, in spite of contrasting characteristics within or on the surface, or of threatened dissolution, asserts the functional necessity and permanence of form.

The time has now come to appreciate in Carrière one of the few true portraitists of an epoch indifferent to the mystery of the individual being. In comparison it might be said that painters with a more comprehensive repertoire and a wider outlook than his, such as Manet, Degas or Lautrec, care less about the inward life of those they study than external traits. When Renoir observes his progeny it is as if he admired a flower or fruit, without that anxious tenderness or tension that the *peintre des Maternités* has constantly imparted to his wife's face or his own. This is a quality that makes him a sort of modern Rembrandt, equally detached from his own time, equally solitary and in practising an unusual technique one who at every moment finds the supernatural where others see only what is material and common-place.

Some no doubt will regret that in his later works he abandoned the comparatively polychrome effect so delightfully seen in his portraits of children, who are near also to the Infantas of Velasquez in the intensity and fixity of their glance. He carried to the verge of paradox the summary brushwork and economy of paint substance, creating a reddish mist that submerged or distracted attention from the well-defined structure Rodin admired so much in his paintings.

In the evolution here presented in all its aspects, with the collaboration of the great public and private collections, the progress of a supposed defect of eyesight has been found by some. But in fact even in his latest and most sketchy studies, reduced to monochrome arabesque, what might be mistaken for indecision, evanescence, or eye fatigue is the product of a superior perspicacity and increased need of expression. And as the great enigma of existence drew nearer – here again the parallel with Rembrandt is close – Carrière withdrew farther from the material and worldly. His predilection asserted itself for realities purer and more fundamental than the superficial charms that suffice those incapable of seeing beyond external appearance.

Carrière   *the man, the thinker, the writer*

Very human but not 'all too human', as the German philosopher has it, was Eugène Carrière, for whom to be sufficiently human meant you could not be too much so. Of no one might it more aptly be said that from him no humanity was alien.

The word often recurred when the celebrated painter of the *Maternités* took up the pen. If he were to write, 'Nothing is permanent in art except what is human', he would do so, it is certain, without attaching to the adjective any implication of weakness or sentimentality.

He who so admirably declared without boast or pretence that 'One must know how to die gloriously' (and who faced death with such noble courage) gave evidence throughout his life of what humanity meant in his eyes.

Carrière, the son; and then the father; Carrière, the attentively devoted husband; Carrière, the defender of the innocent and unjustly accused (I think of the Dreyfus case and the important part he then played); Carrière, the protector of unfortunates; Carrière, the 'master' whose delight it was to see the talents of his pupils expand, who knew nothing of jealousy or envy; Carrière, finally who refused the promise of a fortune if he consented to change his style and 'brighten up' his canvases with livelier colours...

The more I have studied his writings – he was distinguished as a man of letters, a philosopher in the broadest and rarest sense – the better I have appreciated the personality revealed in the painter.

The more I have read – and re-read – certain of his profound observations (crystal clear as they are by reason of the entire absence of useless or affected verbiage) the better I have seen the image of himself emerging by degrees from the shadows like the faces he has painted – modelled indeed in a sculptural fashion.

It is a complex image which it would be a mistake to think of as always grave, for he was witty and full of verve, that is to say full of life. He might be termed a *bon vivant* were it not that for some reason the expression has acquired a perjorative, or at least frivolous, meaning. But I must admit that Carrière the thinker has so deeply interested me that I am impelled to portray him in this aspect mainly, the more so as another critic separately discusses what one needs to know of Carrière the painter in this catalogue.

Eugène Carrière and his daughter Arsène

'Baiser du Soir' in course of execution at the 'Villa des Arts' in 1901

Carrière's studio at the 'Villa des Arts', 15 Rue Hégésippe Moreau, Paris, c. 1900–02

22   Enfant avec pomme (Marguerite) c.1886
     Child with apple

Many are the occasions when reading Carrière, either in the regrettably short volume *Lettres et Ecrits* (long out of print)* or in the very valuable notes that his descendants have sent me for permanent deposit in the library of the Musée de Pontoise, I have been reminded of the many great artists who have also been astonishing masters of the written word, from Poussin to Delacroix, from Van Gogh to Odilon Redon.

If Carrière, I thought, had left us no more than these pages, without the immense testament of his paintings and drawings, he would still deserve to be regarded as one of the most illustrious representatives of France in the 19th century. It would be a pity not to include carefully selected quotations for the benefit of the admirers of his painting and the selection I have been able to make here will serve as the most conclusive proof of my claim for him. I visualize first the father, then the man advancing in glorious achievement, finally the invalid, more lucid than ever and more combative also, though no longer able to speak and reduced to explaining himself with the aid of pencil and paper. The brief lines revealed an abyss of physical suffering and scant hope of cure. His doctor and friend, the famous surgeon Jean-Louis Faure, who, under no illusion that cure was possible, justly admired the indomitable spirit of this son of Alsace.

As a child he had contemplated the proud height of the belfry of Strasbourg cathedral, its amazing porch statues; had breathed the tonic air of my beloved province which Louis XIV likened to a vast garden. It induced I think a healthy state of mind in the future painter of the *Maternités* which saved him from cloaking his emotions in the black veil of mourning. If the emotional tone was sometimes a pearly grey like that of clouds driven before the wind, or of a brownish hue, he always stopped short of gloomy excess. Carrière, essentially French, was not one to yield to this untypical fault unless it be considered that excess became a virtue in his over-abundance of good nature. An extract from a long letter of 1899 to the critic and biographer, Gustave Geffroy, one of his intimates, gives a self-description:

Dear Gustave,
If we hesitate to give our opinion about others how much harder it is to look
inwards and be forced to explain ourselves; to distinguish what properly belongs
to us and what we owe to some unknown source. What is the part that is really our

* See bibliography

own? Nearing the farther slope of life I find I have the same desires as in my immature years... My keenest memories are of emotions felt before nature, when art was unknown to me and I never heard it spoken of. Scenes and persons live in my memories, I see them now in the ambiance of days long gone by. Quite early I began to draw without knowing why... My youth was replete with souvenirs of nature and not of a single work of art. An objective interest alone attracted me towards the reproduction of visible forms and occupied me until my 20th year. Visiting the Louvre in 1870 and seeing Rubens gave me an extraordinary feeling of confusion as I was entirely unprepared for the experience. I had been charmed by the expressive faces in the work of La Tour at St. Quentin. His were the first works of art I had seen and having no means of comparison I naturally took them to provide the only standard possible. But the sight of works by Rubens struck me like a thunderbolt. I vowed I would be a painter at all costs, though I had not bargained for what followed. Very docile and brought up in respect for any and every hierarchy, it took me a long time to realize how frail they might be. I spent six years at the Ecole des Beaux-Arts – Atelier Cabanel – at somewhat irregular intervals as I had to earn my living. I cherish no memory of those precious years so miserably sacrificed – a long monotony of uneventful days and repetitive labour. All my trust in the promise of training had been misplaced; I had been the dupe of my hopes and was left only with the wretchedness of having lived in the company of impotence.
In some confused fashion I gained the idea that art was a form of expression – but expression of what?

From youthful manhood to the end of his career, work had always the first place in his life. I would go farther and say – toil. And to see what a perfectionist he was, one need only look at examples of his countless little sketches in charcoal and pencil; his studies of women's hands (never quite alike yet not entirely unlike); his children's heads and especially those of babies large of brow; and his landscapes that a few touches made so evocative.

I know rough sketches by him in the note-books for which I am indebted to his family, in simple line and of undulating and supple forms that are as satisfying as any finished work.

From 1851 – when he was two years old – he and his parents were dwellers in Strasbourg, first at 40 rue des Hallebardiers, later at 1 rue du Maroquin. Both streets merited the description of picturesque, their ancient houses having cast iron balconies as fine as lace and roofs like tall, protective hoods.

In 1858 he was to be found at the market square of the Marché aux Cochons-de-Lait and shortly after at 14, Rue d'Or. Finally, eleven years after his arrival in the city of the lower Rhine, he was living with his family in another old quarter of Strasbourg, at 14 rue du Vieux Marché-aux-Poissons. The atmosphere of the 17th and 18th centuries was everywhere present. At that time he had drawing lessons at the Château des Rohan, facing the Cathedral; that essentially French (and even Parisian) palace, built in imitation of Versailles and after the plans of the same architects. There everything spoke of the Grand Siècle (which I would venture to call perhaps the greatest of all periods of French architecture and decoration). L'Ecole Municipale, known as the Strasbourg Academy, was installed in a part of the noble building that the Roi Soleil deigned to visit. It was not until 1868 that Carrière left Alsace and went to St. Quentin, so closely associated with the pastellist who strongly influenced him and perhaps his art also.

La Tour, in Carrière's eyes, represented the perfect type of master portraitist, incapable of compromise or flattery, even though his model were the Marquise de Pompadour. La Tour might have said, as Carrière was to say one day when painting Edmond de Goncourt and seeking to convey all the subtle writer's complexity of character, 'I shall make him own up in the end' – an admirably searching mode of procedure, indeed, leading the sitter eventually to reveal the secrets hidden in the intimate depth of the ego.

And often, contemplating the portrait of the author of *Madame Gervaisais* in front of me at the Library of the Musée de Pontoise, I have had the impression that Goncourt did in fact 'confess' at last.

Carrière as a youth of 19 was well developed, solidly built, healthy. But it was not until he had seen the works by Rubens in the Louvre, as we know for certain from the letter I have quoted above – that he decided to become a painter. Though 'become' is scarcely the right word – he was a painter born.

I pass quickly over the sad story of the Franco-German war. Unable to get to Strasbourg, besieged by the Prussians, he was caught up in the military operations at Neuf-Brisach, made a prisoner and interned at Dresden. Liberated in 1871 he returned to Alsace where his family had opted for France.

He next made for Paris. By 1877 he was married and living in the Impasse du Maine, not far from his intimate friend, the sculptor Bourdelle. What matter that he had failed to win the Prix de Rome? He consoled himself by going to see the masterpieces London had to offer. Not only was he a lover of English art but of England herself and that spirit of freedom that Voltaire, Montesquieu and so many others before him had admired. Liberalism was the need of one with his passion for justice and the ideals for which he was ever ready to fight.

In 1878 came the first daughter, Lisbeth 'Elise'; in 1880, little Léon who did not long survive; in 1882, Marguerite; in 1886, Nelly; in 1888 René destined to be a sculptor and to make the fine statue of his father, at Rodin's request, that now adorns a square in Montmartre. Lucie was born a year after René, in 1889. It is an item of particular interest that in 1891 Carrière made a speech at the banquet given in Gauguin's honour and presided over by Mallarmé. In consequence the painter of Tahiti, whom Carrière greatly admired, offered him a self-portrait by way of thanks.

Subsequently and after travel in Spain, Belgium, Italy and Switzerland, he extended his knowledge of France and of Brittany in particular. After many years we find him at last in 1903 at that *Académie Carrière* which was then the place of study of Matisse, Derain, Laprade and many other celebrities of modern art at the outset of their careers. But shortly before he had begun to suffer from the dread disease of which he died in 1906 after the most painful of martyrdoms. He had been living at Mons near his friend, Devillez, who left to the Louvre a considerable number of paintings bought from the artist.

In 1904 Rodin offered a huge bouquet to the Founder of the Salon d'Automne.

It would grow tedious to enumerate all the exhibitions since held in his honour (in the provinces as well as in Paris, and abroad also, between 1907 and 1969). It may suffice to recall the national homage of France, in the galleries of the Musée de l'Orangerie at the centenary of Carrière's birth. It is not at all superfluous to mention that his funeral was attended by all the celebrities of the time, as witness their signatures on the lists provided at the entrance to the church. No eminent politician, writer, painter or sculptor, nor those social celebrities whose prestige advantaged artists, failed to appear. The President of the Republic was present along with Rodin, Clemenceau by the side of Anatole France,.. all had come to pay their respect to Carrière's memory. The occasion gives a reminder, should it be needed, of the lofty and enviable place that was rightly his.

Looking through the painter's correspondence and unpublished writings and taking by surprise, as it were, his models in their daily aspect without resort to 'Pose' (singular or plural) what is almost incredible, even with the same familiar subjects, is the absence of monotony.

Was not this diversity a consequence of a sort of introspection in one who wanted to make others 'confess'. The wife was observed in reflective or agitated mood, or watchful of the new-born; but always beautiful and with almost hieratic gestures. Always there were those slender hands, sometimes embracing an infant child, sometimes half-open as if to grasp the familiar form that was unseen but to be imagined.

He so constantly observed his daughters and his son that it came naturally to him to show their many-sidedness of character; Lisbeth, graciously intelligent, Nelly the philosophic, Lucie the charming, Marguerite the dreamer and 'Toutiti', the last (Arsène), the songbird of the family. As for René, how serious was his look, how vigorous the expression of the future sculptor, already prepared to begin study from the model – René was the recipient of inspiring letters in which Carrière advised him to study nature and all the transformations of beauty in landscape with the changes of the seasons.

Seek to understand the beauty and lavish gifts of nature and take a pattern by its energy and bounty. Every season has its beauty and we see nature change with the task it carries out each day. The fruits ripen, the trees grow yellow and gradually shed their leaves with the approach of winter which is nature's sleep.
Take careful note, my dear René, of this everyday example, of the effort to progress by degrees. As the leaves turn into flowers and the flowers into fruit, quite naturally and without obvious strain, you will be like them, you will find, with the effort made daily, that the young René will become a good and well-balanced man, master of the work he loves to do.

What affection he felt for his 'cher René chéri'!

And this is how he gave counsel to René's elder sister, Lisbeth the young bride 'Never let the unimportant wear away the essential' – in other words no minor friction should be allowed to mar the love of a married couple for one another.

To Marguerite who chafed at slow progress in her ambition to be a painter he addressed the following advice:

You know trees and plants do not bloom before the spring and that autumn is always the season of harvest. Be patient then my dear girl.
Have the faith that is a guide and support on the road that, long as it is, is clear and trustworthy and keep clear of the short cuts that only mislead. In my experience they may force one to go back and start again even after travelling far.

Then there is this profession of faith in a few lines:

Be wary of the praises that tempt one to look for results in a hurry. It has always been my guiding rule to be the sole judge of my work and to regard expressions of approval simply as sympathetic feeling and making for future goodwill. But, my dear girl, 'literature' should be kept out of our lives; our medium is too material. Direct proof is what we have to give. It is well that writers should give us support but only at the time when they request it for us to decide on...

He adds a phrase worthy of the moralist I have always admired in Carrière 'You are not yet ready in yourself'.

A complement to this advice appears in remarks addressed to Nelly: 'Truth counts above all but how many moths flutter vainly round the light! One must avoid being among those who try for a brilliance beyond their capacity.' I will pause here, for to go on leafing through these family documents would have so many happy surprises that I should be greatly tempted to overrun my allotted space.

It can be said in brief of the letters published by René Carrière and those brought together by the care of Professor Delvolvé (the painter's son-in-law) that in them Carrière bears comparison with writers of the highest rank, displaying a faculty that enables him to replace the painter's vision with that of the psychologist in seeing into the mind of his correspondents as into the character of the models he portrayed.

To use the word 'psychology' seems inevitable and it is a nice question whether his clairvoyance or his mode of expression calls the more for admiration. Bergson one day remarked to me that the more obscure the vocabulary and the more pretentious the phrases writers use, the more likely it is that poverty of matter will be hidden beneath superficial display. 'Let us be simple', he concluded (he set the example himself) 'if indeed we have something new and worth-while to say'.

Carrière lived up to this standard. Often one picks up on second reading what one might have missed at first. Also he seems to sum up certain of his key ideas in the concentrated form of 'maxims' such as the classic philosophers of the 17th century might have willingly acknowledged as their own. They are not elaborated on but are, as it were, words 'cast in bronze' (as Rodin rightly said) in which Carrière seems more sculptor than painter. Though his style appears to flow spontaneously, it was in fact the result of much deliberation. The literary form was definitive, a medal struck in terms of evocative phrase.

In his estimation, to be commonplace was often the result of wishing 'to be artificially set apart from one's fellow-creatures'. To aspire to become strong in isolation: this was madness and fanciful conceit. If fashion changes, human nature does not. What an error it was to assume that different types of man have different feelings, an idea tending to increase that estrangement that has been the source of so many ills.

Carrière found it especially provoking that 'the finest words become foreign to us in a connection that is no longer meaningful'. But at no time did he despair. He was conscious of a mounting ardour in the generations growing up around him. 'When the flowers are full of bees there is honey to come'.

I would venture to assert, without bias or provincial 'chauvinism', that Carrière cultivated certain essentially Alsatian virtues; determination, perseverance, uprightness; and loyalty also. He had a punctilious sense of what was due to others and of what respect and affection was deserved by the 'people' in the proper meaning of that misused term. Alsatian also was his way of maintaining that 'to avoid difficulties is to avoid experience'.

Among his intimates I used to see Rodin. I never forget his declaring one day; that 'only those without patience could fail to penetrate the secret of Carrière's genius and appreciate the pleasures his paintings offer in the fascinating realm of the soul and that reality within us of which Carrière gives his kindly revelation'.

Carrière added to the sculptor's comment this affirmation 'What is clear is not immediately perceived'. There was mystery in reality and reality in what was invisible. Opinionated always, he held that 'one is gay when there is no reason to be angry with oneself'. Melancholy was the child of egotism, whose false lure was to be held in abhorrence. 'Any man', he said 'who for fear of suffering would take it as an advantage to be insensitive would never do anything great and would be no more than half a man'.

Such a being would lack the idea of the essential, second 'wing' so to speak of the 'diptych' of which *humanity* constituted the first. To be narrow in ideas, to put on mental blinkers, was to hide from oneself all that could be seen here on earth. 'One starts out to discover the unknown but on the way back one discovers the known'.

If he suffered it was precisely because he felt more intensely than most the miseries and misfortunes of others; yet he well knew that 'Life without suffering is no more conceivable than force without resistance'. Re-reading the remarkable pages he devoted to animals and the skeleton, for a lecture at the Museum (the title 'Man, visionary and realist') I thought no phrase could better express the spirit of his art than this 'Art is the expression of our emotions before nature. To awaken the understanding to a sense of *Nature* and of *Life* is the true purpose of art'.

I would like to prolong my peregrination through the letters, writings and unpublished notes – never failing to delight in his always impeccable and also personal style. And when I open the note-books preserved in the show-cases of Pontoise to consult this master-thinker I am overwhelmed by the abundance of ideas thrown out from the manuscript leaves, 'as if Carrière's perceptive soul opened imposing gateways on what we might all become' (so Bourdelle wrote): 'Each visage you depict seems to evoke an accumulation of existences... the personages of your shadowy groups are linked in communion of thought, they have an inward relation. Quivering with life the humanity you have painted from the cradle onwards defies the tomb, so much of eternity has your affection conveyed'.

As for Goncourt, he noted in his Journal that Carrière arrived at a point when he did not make the portrait of a face 'but the portrait of a smile'. Volume IV of the Journal shows how Goncourt regarded the head of a child painted by Carrière and contains also the remark that the hands of women by him were like those of no other artist, though as fine as those of Van Dyck or Frans Hals or Watteau above all.

Of the celebrated portrait of Goncourt so much admired by the academician Besnard and now to be seen in my study at Pontoise, the sitter concluded that: 'This portrait is not perhaps exactly like.. but it seems to me the first to show *something* of the head of the man who wrote the books I have written, the first portrait with an *intellectual likeness*'. The phrase explains and sums up everything. As a draughtsman and painter Carrière was a moralist of art, one of those creative spirits whose genius stems from brain power and the grandeur of original ideas. He is one who should be known and the esteem he enjoyed in his lifetime ought now to be renewed in all its former brilliance.

CHARLES OULMONT
Conseiller d'Honneur of the Museums of Alsace and Conseiller Culturel of St. Cloud, Besançon and Pontoise, Vice-President d'Honneur of the Société des Gens de Lettres de France.

10   Enfants jouant (Léon et Marguerite) 1883
     Children playing

Eugène Carrière *par Claude Roger-Marx*

Quelle passionnante étude on pourrait écrire sur la loi fatale qui pousse une génération à réagir avec véhémence contre les générations précédentes! A ce temps plus ou moins long d'ingratitude, très peu de grands artistes ou de grands écrivains ont échappé. Degas, Rodin, Monet, Renoir ont traversé une brève désaffection avant de connaître une gloire encore supérieure à celle qu'ils avaient reçue tard, mais de leur vivant.

Ainsi en va-t-il pour Eugène Carrière, que ses contemporains ont situé si haut. Que l'injustice à son égard ait duré davantage, cela s'explique aisément: tout, chez lui, tend à magnifier ce à quoi l'art, depuis cinquante ans surtout, a tragiquement renoncé.

Carrière, aussi bien par sa conviction absolue que la peinture n'est qu'un moyen de manifester ce qui se passe au fond des âmes, que par l'austérité de sa technique et de ses modes d'expression, parait, avec Odilon Redon, qui ne l'admirait guère, comme une véritable anomalie. Déjà de leur temps l'idée-fixe de la couleur, avec tout ce qu'elle comporte de sensualité et d'artifices, commençait à prédominer. Comme disait Redon, l'art était 'bas de plafond'. Parler de vie intérieure à propos d'une œuvre peinte ou sculptée prêtait à sourire ceux qui eussent volontiers traité Vinci, Dürer, Rembrandt, Delacroix, Daumier ou Millet de littérateurs manqués.

Et pourtant, s'il est un maitre chez qui les préoccupations d'ordre plastique ont toujours été à la hauteur des préoccupations cérébrales, un maitre chez qui, grâce au clair-obscur – mot magique dont le petit trait d'union rend le connu et l'inconnu inséparables – l'invisible s'appuie toujours sur l'observé, c'est bien celui dont l'œuvre, presque sans exception, est vouée à la femme, à l'homme, à l'enfant, au *foyer* (autre mot qui suggère si bien la chaleur irradiante d'un milieu à la fois physique et moral, et la signification des gestes accomplis par ceux auxquels l'amour ou les liens du sang donnent l'illusion d'être unis à jamais).

C'est presque uniquement à son foyer que Carrière puise son feu. Sa compagne, lui-même, ou ces variantes de tous deux que sont les six enfants qui les continuent; ses amis – Puvis de Chavannes, Rodin, Verlaine, Edmond de Goncourt, Rochefort, Daudet, Anatole France,

Geffroy, Roger-Marx, Devillez – tels sont les prétextes d'un double effort d'analyse et de synthèse qui enserre, dans les mêmes réseaux circulaires et protecteurs, la mère et le nouveau-né qu'elle allaite ou berce, un nu vêtu de sa seule splendeur, un bouquet, une communiante, une jeune fille à sa toilette, des spectateurs assemblés, ou le Christ en croix.

Chargé d'un minimum de matière, le pinceau fait surgir des pénombres les parties essentielles d'un être, je veux dire les parties pensantes. Fronts, tempes, regards, sourires, mains, tout, chez ce visionnaire qui voit presque autant en sculpteur qu'en peintre, devient marbre, modelé à la fois du dedans et du dehors.

Comme à la montagne le brouillard soudain se déchire, laissant paraître dans son éclat et son relief un fragment de paysage, ainsi surgissent de frottis de cendre blonde, d'or éteint, d'ambre ou de velours noir, un ou plusieurs visages, à peine rehaussés d'une pointe de carmin ou de rose tendre, émerveillés, souriants, anxieux ou méditatifs, tournés vers le passé ou vers l'avenir, et qui semblent captifs d'un songe plus vivant encore que la réalité.

On ne saurait trop insister sur la liaison que Carrière excelle à créer non seulement entre un personnage et son milieu (ou, comme on dit aujourd'hui, son environnement), mais aussi entre les éléments disparates dont, chargés d'hérédités contraires, la plupart des visages sont le rendez-vouz.

Tout, dans son art, aspire à l'unité, forme bloc, et, malgré les oppositions internes ou de surface, et les menaces de destruction, affirme la raison d'être et la permanence des formes.

Le temps est venu maintenant d'admirer en Carrière l'un des seuls vrais portraitistes d'une époque indifférente au mystère individuel. On pourrait presque dire qu'en comparaison des peintres d'un répertoire plus vaste et d'un horizon plus varié, comme Manet, Degas ou Lautrec, sont moins attentifs à ce qui se passe au fond de chaque être qu'à ses caractéristiques extérieures. Quand Renoir se penche sur sa progéniture, c'est comme sur une fleur ou sur un fruit, sans cette tendresse inquiète et cette tension fiévreuse que nous retrouvons également dans les images que le *peintre des Maternités* n'a cessé de donner du visage de sa femme ou du sien, et qui font de lui une sorte de Rembrandt moderne, aussi détaché de son époque, aussi solitaire, et qui, pratiquant une technique inusitée, découvre à tout moment du surnaturel là où les autres ne voient que du tangible et du normal.

Certains regretteront sans doute que, sur le tard, renonçant a là relative polychromie dont jadis il usait si délicieusement dans ses portraits d'enfants, si proche des infants de Velasquez par l'ardeur et la fixité du regard, Carrière ait poussé jusqu'au paradoxe cette concision des pinceaux et cette économie de pâte qui font oublier, en la noyant dans un *sfumato* roussâtre, l'armature rigoureuse que Rodin admirait tant dans ses toiles.

On a souvent attribué à quelque trouble de la rétine l'évolution d'un peintre dont la présente exposition est parvenue à résumer, grâce au concours de grandes collections publiques ou privées, tous les aspects. En vérité, même dans les études les plus récentes et les plus esquissées, réduites à des camaieux et à des arabesques, ce qu'on pourrait prendre pour de l'indécision, de l'évanescence ou de la fatigue des yeux, est le fruit d'une clairvoyance supérieure et de croissantes exigences envers soi-même. Et on dirait qu'aux approches de la grande énigme – et là encore le parallèle avec Rembrandt s'impose – Carrière veuille s'abstraire davantage encore de ce qui est charnel en ce monde, en montrant ses prédilections pour des réalités plus essentielles et plus épurées que les charmes où se complaisent les mortels, incapables de regarder au delà des apparences.

Tel fut Carrière *l'homme, le penseur, l'écrivain*

Humain, mais pas *trop* humain, comme dans le titre d'un livre célèbre du philosophe allemand; cependant pour Eugène Carrière, si l'on veut être *assez* humain, faudrait-il l'être *trop*... Et à personne plus qu'à lui l'on ne saurait appliquer la remarque: 'Rien de ce qui touche à l'homme – rien donc de ce qui ressortit au domaine de l'*humain* – ne pourrait lui être étranger'.

'Humain', d'ailleurs, on retrouve l'épithète, presque à chaque phrase sous la plume du peintre célèbre des *Maternités*. Et je ne serais pas éloigné de penser que s'il écrivit, un jour: 'Il n'y a de permanent en art que ce qui est *humain*', ah! certes, l'adjectif employé parfois abusivement était ici dépourvu de toute faiblesse et sensiblerie.

Et celui qui déclara de façon si admirable: 'Il faut savoir mourir glorieusement' (et qui regarda la mort avec tant de noblesse courageuse) ne sachant rien des mesquineries dont on s'affuble trop souvent dans le domaine du cœur afin de masquer des faiblesses, prouva tout au long de son existence ce que représentait à ses yeux, l'*humain*.

Carrière, le fils; et puis le père; Carrière, le vigilant et tendre époux; Carrière, le défenseur des innocents injustement condamnés (je pense à l'affaire Dreyfus et au rôle de premier plan qu'il y joua); Carrière, protecteur des malheureux; Carrière, un 'maître' cherchant à laisser le talent de ses disciples s'épanouir; Carrière, qui ne connut ni la jalousie, ni l'envie; Carrière, enfin, qui sut refuser la fortune qu'on lui offrait s'il consentait à changer de 'manière', et à 'égayer' ses toiles par des couleurs plus vives...

Plus je me suis penché sur ses écrits – il fut un écrivain de haute classe, moraliste, philosophe dans le sens le plus large et le plus rare, – et mieux j'ai compris sa *personnalité* de peintre.

Oui, plus j'ai lu... et relu certaines de ses pensées profondes (pourtant limpides comme le cristal à cause d'une langue dépouillée de tout vain ornement, de toute expression inutilement 'recherchée', de toute pédanterie aussi) et mieux j'ai vu peu à peu se dégager, sortant de l'ombre comme font les visages qu'il a peints, (qu'il a *sculptés*, vraiment, selon le mot de Rodin) sa propre figure.

Complexe, certes, cette figure qu'on aurait bien tort de juger toujours grave: car spirituel il l'était, plein de verve; mieux, plein de vie.

L'on dirait 'bon vivant', si cette expression n'avait pris, l'on ne sait pourquoi, un sens péjoratif ou en tous cas, frivole. Mais, dois-je l'avouer, le Carrière *penseur* m'a tant passionné – le verbe n'est pas trop fort – que je ne saurais m'empêcher de lui consacrer la plus importante part de son portrait. Et cela, d'autant plus naturellement, qu'un critique chevronné dit ici d'autre part ce qu'il faut savoir au sujet du peintre.

Combien de fois, en lisant Carrière, soit dans le trop court volume *Lettres et Écrits* (depuis un long temps épuisé), soit dans les très précieuses notes que ses enfants ont bien voulu me remettre afin de les déposer dans la Bibliothèque – Musée de Pontoise où elles reposent désormais à côté des portraits originaux de Goncourt, de Verlaine, d'autres, entourés de lettres, d'articles, de documents le concernant, oui, combien de fois ai-je évoqué d'autres grands artistes qui furent aussi d'étonnants maitres de la plume : de Poussin à Delacroix, de van Gogh à Odilon Redon...

Et je songeais : si Carrière ne nous avait laissé que ces pages sans l'immense trésor de ses 'pages' peintes ou dessinées, il mériterait déjà d'être une des gloires françaises du XIXe siècle.

Il serait donc absurde de ne pas faire profiter les admirateurs du peintre de ce que la place qui m'est impartie dans ce catalogue me donne loisir de transcrire. La gerbe sera déjà si belle, si 'parfumée', qu'elle deviendra la plus éclatante preuve de ce que je viens d'affirmer.

Mais, auparavant, je voudrais expliquer comment j'ai conçu de faire cette gerbe, afin de ne pas meurtrir les fleurs en les serrant excessivement, et en ne les choisissant pas au hasard.

Le père, d'abord. Et puis l'homme, à mesure qu'il avance dans la vie, c'est-à-dire dans la gloire ; enfin, le malade, plus lucide que jamais, et plus que jamais combatif, quoique ne pouvant plus parler et réduit à s'expliquer par écrit à l'aide d'un crayon. Ah ! ces lignes nettes, mais révèlant un abime de souffrances physiques, ces lignes où ne perce presque plus l'espoir de la guérison... Son cher medecin, l'illustre chirurgien Jean-Louis Faure, ne s'y trompait pas, et admirait à juste titre l'indomptable énergie de cet enfant d'Alsace.

Enfant, n'avait-il pas contemplé le haut clocher de la rose cathédrale de Strasbourg ! il en avait, d'en bas, mesuré l'audacieux orgueil ; il avait interrogé les portails peuplés des étonnantes statues devant lesquelles se sont inclinés quelques-uns des 'phares' dont parle Baudelaire ; et d'abord, Goethe ; et, qui sait, Voltaire. Il avait respiré l'air vivifiant de ma chère province, celle dont Louis XIV disait qu'elle ressemble à un grand jardin. Et je pense que la santé qui s'en dégage permettait au futur peintre des Maternités de ne pas endeuiller l'émotion jusqu'à la revêtir d'un voile de crêpe. Du gris perle, soit comme on en voit là-bas dans la chevauchée folle des nuages poussés par le vent; ou bien, du bistre profond; mais s'arrêter toujours au bord de l'excès. Carrière, essentiellement français, ne connut jamais ce défaut 'qui n'est pas de chez nous'; ou bien, il le connut peut-être pour en faire une vertu, une force: de la bonté.

Avant tout, puis-je demander à Carrière lui-même de se 'raconter', et extraire quelques lignes d'une longue lettre adressée à son ami Gustave Geffroy, l'académicien Goncourt, non seulement l'un de ses familiers, mais un de ces biographes que l'on consulte encore aujourd'hui. La lettre est de 1899:

Cher ami Gustave,

Nous hésitons à nous prononcer sur les autres mais combien sommes nous troublés lorsque nous faisons un retour sur nous-mêmes et qu'il faut nous expliquer: démier dans ce qui vient de nous et de ce que nous devons à ce que nous ignorons. Quelle est la part qui nous est vraiment propre. Presque sur le versant de la vie je me retrouve avec les mêmes désirs qu'à l'âge inconscient... Mes souvenirs précis sont des émotions devant la nature. L'art m'était inconnu et je n'en entendais pas parler. Je me rappelle des milieux, des êtres, ils vivent tous en moi, et aujourd'hui je regarde les mêmes créatures dans des atmosphères qui me rappellent les autres lointaines. De tout bonne heure je me suis mis à dessiner sans savoir pourquoi. Le plaisir de reproduire des formes, d'imiter des dessins, qui me plaisait j'ai passé des choses d'agrément comme on passe des contes à l'histoire. Ma jeunesse est pleine de souvenirs de nature et d'absence complète d'œuvre d'art. Une curiosité des choses extérieures m'a seule conduit vers la reproduction des formes visibles; j'y ai trouvé une profession jusqu'à ma 20ème année. Le Louvre que je visitai en 1870 me donna par Rubens une émotion extraordinaire bien confuse puisque rien ne m'y avait préparé. Les figures expressives de La Tour à St. Quentin m'avaient charmé. Mais comme c'était les premières œuvres d'art que je voyais elles me parurent toutes naturelles. Elles étaient comme cela et comme je n'avais pas de moyen de comparaison, il me semblait qu'elles ne pouvaient pas être autres. L'apparition des Rubens me donna vraiment un coup de foudre. Tout à fait. Et je me jurais d'être peintre et de subir tout pour cela. Je ne croyais pas m'engager à tout ce qui s'ensuivit. Très docile, élevé dans le respect de la hiérarchie de toutes les hiérarchies, je les ai toutes respecté – il m'a fallu longtemps pour me rendre compte de la fragilité de ces décors. J'ai passé six ans à l'Ecole des Beaux-Arts – Atelier Cabanel – assez irrégulier, la vie à gagner me l'imposait. Je n'ai pas de souvenirs de ces belles années si misérablement sacrifiées – une longue monotonie de journées de travail répétées. Sans accent. Une profonde horreur me prend et la révolte surgit. Toute cette foi à ces promesses a été trompé. J'ai été dupe de mes espoirs et il ne me reste rien que la douleur d'avoir vécu parmi des neutres. Confusément il me semblait que l'art était une forme d'expression. Mais expression de quoi?'.

La vie de Carrière, dès l'âge de jeune homme jusqu'en fin d'existence? D'abord, et toujours, travail. Plus même; je dirais: labeur. Et il n'est que de contempler les innombrables petits croquis au fusain, au simple crayon, ces études de mains de femme, (jamais 'ni tout à fait les mêmes ni tout à fait d'autres'); ces têtes d'enfant; et surtout, les crânes puissants du bébé; et ces paysages si évocateurs, faits en quelques traits; pour se rendre compte comme Carrière cherchait et trouvait 'le point de perfection'.

Je connais de lui, grâce aux carnets qui m'ont été donnés par ses enfants, de simples ébauches, des lignes parfois, aux formes ondulées, souples, qui valent une œuvre achevée.

Carrière! Dès 1851 – âgé de deux ans –, le voici Strasbourgeois avec ses parents. Il habite rue des Hallebardiers au n° 40, et puis rue du Maroquin n° 1, deux rues méritant les qualificatifs de *pittoresques*, avec leurs maisons anciennes, aux balcons de fer forgé fins comme des dentelles, et leurs toits semblables à de hauts capuchons protégeant l'édifice.

En 1858, le voici place du Marché aux Cochons-de-Lait, et puis au 14 de la rue d'Or. Enfin, onze années après son arrivée dans la ville du Bas-Rhin il loge avec sa famille dans un autre coin de Strasbourg, rue du Vieux Marché-aux-Poissons, n° 14. Toujours l'atmosphère du XVIIe et XVIIIe siècles...

A cette époque-là, il suit des cours de dessin au Chateau des Rohan, face à la Cathédrale, dans ce Palais si essentiellement français (parisien, même) édifié à l'instar de Versailles, et grâce aux plans des mêmes architectes. Tout ici évoque le Grand Siècle (je me permettrai de dire: le plus grand des siècles, peut-être, de l'architecture et de la décoration, en France). L'Ecole Municipale y est installée dans un coin de la noble demeure où daigna venir le Roi Soleil. On la nomme l'Académie de Strasbourg.

C'est seulement en 1868 que Carrière quittera l'Alsace pour se rendre à St. Quentin, dans le fief du pastelliste La Tour qui exerça sur lui – sur son art, peut-être – une forte influence.

La Tour représentait, à juste titre, aux yeux de Carrière le maître portraitiste, incapable de compromission, d'indulgence, à l'égard de son modèle, fût-ce la Marquise de Pompadour. La Tour qui, sans doute, aurait pu dire, comme fit un jour Carrière lorsqu'il peignait Edmond de Goncourt, cherchant à traduire toute la complexité de caractère de cet écrivain subtil: '*Je finirai bien par le faire avouer!*' Formule admirable, profonde.

Eh! oui, lui faire *avouer*, ces secrets que chacun garde au fond de soi, dans l'intimité de son moi...

Et que de fois ai-je eu l'impression, en interrogeant le portrait de l'auteur de 'Madame Gervaisais' qui est en face de moi à la Bibliothèque–Musée de Pontoise, qu'en vérité Goncourt avait fini par *avouer!*...

Carrière est alors un jeune garçon de 19 ans. Bien en chair. Solide. Sain. Mais ce n'est qu'après avoir vu les Rubens au Louvre – nous en avons la certitude grâce à la lettre que j'ai transcrite plus haute, – qu'il est décidé à devenir peintre. Devenir? Est-ce bien le mot qui convient? Il est *né* peintre.

Je passe sur le douloureux épisode de la guerre franco-allemande: ne pouvant gagner Strasbourg investie par les prussiens, il s'engage à Neuf-Brisach. On le met en prison, on l'interne à Dresde. Libéré en 71, il retourne en Alsace. Sa famille a opté pour la France.

Retour à Paris. Et en 1887, le voici marié et installé Impasse du Maine, tout près de l'endroit où habitera son cher ami le sculpteur Bourdelle. Que lui importe d'avoir échoué au Concours de Rome! Il s'en consolera en allant contempler des chefs-d'œuvre à Londres. Ce n'est pas seulement l'art anglais qu'il adore, mais l'Angleterre elle-même, le libéralisme, celle qu'avant lui admirèrent et aimèrent Voltaire, Montesquieu, tant d'autres. Libéralisme! il en a besoin, cet assoifé de justice, ce combattant au nom de l'idéal.

1878: une première fille, Lisbeth; et en 1880 le petit Léon, qui ne vivra guère; 1882, Marguerite, et en 1886, Nelly; 1888, René, futur sculpteur, vient au monde: c'est lui qui fera sur la demande de Rodin la belle statue de son père, décorant aujourd'hui une place de Montmartre; 1889, Lucie. Détail curieux: en 1891, Carrière tient à prendre la parole au banquet donné en l'honneur de Gauguin et présidé par... Mallarmé Aussi, le peintre de Tahiti qu'estime fort Carrière lui offre en reconnaissance son autoportrait.

Ensuite, Carrière fait plus ample connaissance avec notre pays: la Bretagne, surtout, après avoir voyagé en Espagne, en Belgique, en Italie, en Suisse.

Franchissons le cours des années et retrouvons Carrière jusqu'en 1903 dans cette *Académie Carrière* que fréquentent Matisse, Derain, Laprade, et beaucoup d'autres grands artistes à leurs débuts. Mais déjà quelques mois auparavant, commence pour lui le martyre de l'affreuse maladie dont il devait mourir après tant et tant de souffrances, en 1906. Il habite Mons, près de son ami Devillez qui léguera au Louvre un nombre considérable de toiles achetées à l'artiste. Et en 1904 Rodin offre un immense bouquet au Fondateur du Salon d'Automne.

...Il serait presque fastidieux de faire l'énumération de toutes les Expositions solennelles qu'on organise dès lors pour lui (aussi bien en province qu'à Paris et à l'étranger entre 1907 et 1969 ...) Qu'il suffise de rappeler l'hommage national de la France dans les salles du Musée de l'Orangerie, lors du Centenaire de la naissance d'Eugène Carrière. Et sans doute n'est-il pas vain de noter que lors des funérailles de ce merveilleux maître, toutes les célébrités de cette époque vinrent défiler devant sa dépouille mortelle: j'ai sous les yeux, en effet, la liste de ceux qui signèrent sur les feuilles placées à l'entrée de l'église, pour qu'on s'en puisse convaincre facilement. Pas un nom d'homme politique, d'écrivain, de peintre ou de sculpteur, sans parler de ces personnalités mondaines qui faisaient par leur prestige personnel la réputation d'un artiste, ne manque à l'appel.... Le président de la Republique à coté de Rodin, Clémenceau à coté d'Anatole France... Tous, ils y sont tous, venus apporter leur hommage au Disparu. Il importe qu'on s'en souvienne, afin de mettre à la place qui lui appartient, celui dont ignorants et oublieux ne savent plus au juste jusqu'à quel point cette place est haute et enviable...

Mais feuilletons maintenant la correspondance et des écrits inédits du peintre des Maternités, surprenant ses modèles en plein travail, dans des attitudes quotidiennes, sans vaine recherche de 'pose', au singulier ou an pluriel. Et, ce qui parait presque incroyable, même avec ses mêmes modèles familiaux, sachant trouver telle diversité, qu'il ne pouvait en resulter aucune monotonie.

Cette diversité, aussi bien, n'était-elle pas la conséquence d'une sorte d'introspection de la part de celui 'qui voulait les faire avouer'? L'épouse rêveuse, ou l'épouse inquiète, ou encore, l'épouse attentive au geste de son petit nouveau-né; mais toujours si belle l'épouse, quasi hiératique....

Et toujours, oui, toujours, ses longues mains, tantôt serrées autour d'un corps d'enfant, et tantôt mi-ouvertes, comme pour prendre un objet usuel que l'on ne voit pas mais qu'on peut imaginer...

Quant à ses filles et à son fils, Carrière les a tant regardés, tant étudiés, qu'il n'est pas en peine de les montrer multiples, complexes; de Lisbeth, la gracieuse spirituelle et Nelly la philosophe, à Lucie la charmeuse, Marguerite la rêveuse, et sa 'Toutiti', la dernière, (Arsène), l'oiseau chanteur de la famille. Quant à René, quel sérieux dans son regard, quelle vie dans l'expression du futur statuaire, déjà tout prêt à interroger un modèle!... René, destinataire de lettres profondément nobles, comme celle où Carrière lui écrit d'étudier la nature, les beaux paysages que transforment les saisons:

Cherche à comprendre la nature dans sa beauté et sa bonté, et lui ressemble en force et en générosité. La saison est belle et toujours nous voyons la nature changer par un travail qu'elle accomplit tous les jours. Nous voyons les fruits mûrir, les arbres jaunir et petit à petit perdre les feuilles et se diriger vers l'hiver, qui est le repos de la nature; comprends bien, mon cher René, cet exemple de tous les jours que la nature fait devant toi; fais, comme elle, tous les jours, un petit effort pour devenir meilleur.... Commes les arbres voient les feuilles se changer en fleurs, les fleurs en fruits, tout naturellement, sans efforts sensibles, tu seras comme eux, tu verras tout simplement par un effort de tous les jours le petit René devenir un homme bon et juste, et sachant le travail qu'il aime à faire...

Ah! qu'il aime ce petit garçon, ce 'cher René chéri'!

Et voyez maintenant comme il donne à la grande sœur, Lisbeth, la jeune épouse, le plus nécessaire avertissement: 'Ne pas laisser le reste effriter l'essentiel', c'est à dire l'amour entre deux époux'.

A Marguerite qui s'impatiente des lenteurs que semble lui imposer une carrière de peintre qu'elle ambitionne:

Tu sais que les arbres et les plantes ne fleurissent jamais avant le printemps, et que l'automne sera toujours la saison des vendanges. Sois donc calme, ma chère fille, avec la foi qui nous soutient et nous guide par les longs chemins clairs et sûrs, et ne prends pas les sentiers qui ne sont que source d'erreurs; une expérience qui m'a été faite nous force à revenir en arrière, et souvent de très loin.

Et puis, cette profession de foi en quelques lignes:

Méfie-toi des éloges qui nous font précipiter nos résultats. Ce fut la règle de toute ma vie: rester seul juge de son travail, et n'accepter les approbations, que simplement comme sympathies, et un crédit pour l'avenir; ainsi, ma chère fille, pas de littérature dans la vie; notre métier est trop matériel; ce sont des preuves sans phrases qu'il faut faire; que les écrivains nous soutiennent, c'est parfait, mais qu'ils ne viennent qu'à l'heure où notre conscience les admet, c'est ce choix de l'heure qu'ils exigent eux-mêmes que nous fassions pour eux....

Et il ajoute une phrase digne du moraliste que j'ai admiré en Carrière:
'*Tu n'es pas encore prête en toi*'...

N'est-elle pas complètée par celle-ci, adressée un jour à Nelly: 'La vérité triomphe de tout, mais combien d'éphémères phalènes tombent autour de la lumière! Il ne faut pas être parmi ceux qui cherchent la clarté en dehors d'eux-mêmes'....

Je m'arrête, car à feuilleter ainsi le chartrier familial, mon étonnement heureux serait si grand, que je ne saurais alors respecter l'espace qui m'est imparti. Qu'on sache seulement, qu'il s'agisse des lettres publiées par René Carrière, ou de celles réunies par la sollicitude du professeur Delvolvé (gendre du peintre), que l'écrivain s'y montre toujours digne des meilleurs écrivains, armé d'une psychologie puissante permettant de voir, non plus avec des yeux de peintre mais avec ceux du psychologue, jusqu'à l'âme de ses correspondants comme à celle de ses modèles.

Je viens d'écrire le mot 'psychologie', il s'impose. Et l'on ne sait ce qu'il faut admirer davantage de sa clairvoyance, ou de la manière dont elle s'exprime. Bergson me disait un jour que plus on s'encombre d'un vocabulaire obscur, plus on donne aux phrases une allure prétentieuse, et plus on sent la nécessité de masquer la pauvreté du fond par une vaine richesse de forme: 'Soyons simple, concluait-il (et il donnait l'exemple) si nous avons vraiment quelque chose de fort et de nouveau à dire'.

Carrière jamais ne manque à ce conseil, et ainsi faut-il parfois relire le texte pour apercevoir à cette seconde lecture ce que d'abord on n'avait pas noté. En outre, il semble qu'à résumer certaines de ses idées maitresses sans les avoir développées auparavant, sans y revenir par la suite, il forge des *maximes* que les classiques du XVIIe siècle eussent volontiers signées. Il ne modèlle point par touches successives, non plus que par longues périodes; il coule les mots dans du bronze, plus encore sculpteur (Rodin le disait bien) que peintre, à ces moments-là. Il y a dans son style une sorte de jaillisement qui parait spontané, n'étant en réalité que conséquence d'une sévère méditation. La forme, alors, s'impose à Carrière, définitive: la médaille est frappée dans une langue évocatrice.

Pour lui, être médiocre vient du fait fréquent qu'on désire 'se séparer artificiellement de ses semblables'. Vouloir être fort tout seul? Folie... Orgueil et utopie. Solidarité humaine: base de tout progrès. Si la mode change, il n'en va pas de même de la nature des hommes. Quelle erreur de juger que les 'hommes de classes différentes ont des sentiments différents'! Voilà qui aggrave déjà la séparation des hommes; cette séparation, source de tant de maux.

Carrière, pour autant s'irrite que 'les paroles les plus belles nous deviennent étrangères par un usage que l'attention n'accompagne plus'. Mais jamais, non jamais, Carrière ne désespère. Il sent une fièvre croissante monter tout autour de lui parmi les nouvelles générations: 'Lorsque les fleurs sont pleines d'abeilles, la ruche est proche'.

Dirai-je, alors, sans parti-pris ni 'chauvinisme' provincial, que Carrière cultiva certaines vertus essentiellement alsaciennes: Volonté, persévérance, droiture; fidélité, aussi. Et puis un sens exact de ce qu'on doit à autrui, de ce que le mot vilipendé de 'peuple' impose de respect et d'amour, quand on sait le comprendre. Alsacienne, encore, cette façon de déclarer que 'supprimer les difficultés, c'est supprimer l'expérience'.

Parmis les familiers j'y voyais aussi Rodin. Il déclara un jour devant moi que 'seuls les impatients ne savent pas découvrir le secret du génie de Carrière, toutes les joies que ses tableaux nous offrent dans ce pays charmant des âmes et de la douce réalité; ce pays qui est nous-même, et dont Carrière est le bienfaisant révélateur'.

Et Carrière répondait au sculpteur par cette affirmation que 'l'évidence est ce qui ne se perçoit pas au premier instant. Mystère de la réalité, réalité de l'invisible'. Lutteur, dans le quotidien comme dans son art, il reconnait que l'on est gai seulement 'lorsqu'on n'a pas de raison de s'en vouloir'. De la tristesse, fille de l'égoisme, il faut redouter la trompeuse séduction. Pour Carrière, celui qui, 'par crainte de la souffrance, accepterait le don de l'insensibilité, ne saurait faire de grandes choses, et ne serait *homme* qu'à demi'.

Il lui manquerait en effet l'essentiel. Et de même, avoir des idées mesquines, se mettre des œillères, n'est-ce pas s'empêcher de voir tout ce qu'on peut voir ici-bas: 'Le chemin du retour est un chemin nouveau: on part à la découverte de l'inconnu, et on découvre le connu'.

Si Carrière a souffert, n'est-ce pas précisément parce qu'il regardait plus intensément que les autres les misères et les douleurs d'autrui; mais il savait bien que 'la vie sans souffrance ne se conçoit pas plus qu'une puissance sans résistance'.

Et je pense, en relisant les extraordinaires pages consacrées aux animaux et au squelette, lors d'une conférence au Muséum (Titre: L'Homme visionnaire de la réalité), qu'aucune idée n'est plus évocatrice de ses toiles, Maternités ou portraits, que celle-ci: 'L'art est l'expression de nos émotions devant la nature. Réveiller dans l'esprit le sens de la *Nature* et de la *Vie*, c'est le rôle même de l'art'.

Dans ma promenade à travers lettres, écrits, et notes inédites de Carrière, je n'en finirais pas de m'extasier aussi sur sa *forme* toujours impéccable, mais toujours personnelle.

Et quand j'ouvre les Carnets qui reposent dans les vitrines de Pontoise, quand j'interroge ce *maitre à penser*, je me sens pris d'une sorte de vertige devant l'abondance de ces idées jetées au vent des feuilles manuscrites, 'comme si Carrière ouvrait par son âme voyante des portes profondes donnant sur tous nos devenirs' (Bourdelle l'écrit): 'Chacun de tes visages semble évoquer des existences entassées... Les personnages de tes groupes d'ombre s'interpénètrent en pensée, ils se touchent *par le dedans*; la frémissante *humanité* que tu as peinte part du berceau et échappe à la tombe, tant ton amour qui peint pressent d'éternités'.

De son côté, Goncourt, dans son Journal, n'a-t-il pas noté que Carrière arrive à faire le *portrait d'un sourire.*

Qu'on lise le tome IV du Journal, et l'on verra comme Goncourt commente un visage d'enfant peint par Carrière.

Et à propos des mains dessinées ou peintes par Carrière: 'La main, ce morceau de l'être qui raconte tant de choses! Il y en a là, dans des tiroirs, des brassées...' Revenant sans cesse aux études que fit Carrière avant d'achever la toile célèbre qu'on peut contempler désormais dans le cabinet de Pontoise, il conclut: 'Ce portrait n'est peut-être pas parfaitement ressemblant... Mais il me semble être le premier montrant *quelque chose* de la tête de l'homme qui fait les livres que j'ai faits, le premier portrait à *ressemblance intellectuelle*'.

Cette épithète explique et résume tout. Car en définitive, dessinateur, peintre, Carrière fut un *moraliste de l'art,* un de ces *créateurs* dont le génie si sensible vient directement de la force du cerveau, de la grandeur originale des idées.

Il faut qu'on le sache, et que la gloire dont il jouit de son vivant recommence enfin à briller de tout son éclat.

CHARLES OULMONT
Conseiller d'Honneur de Musées en Alsace
Conseiller Culturel de St. Cloud, de Besançon, et de Pontoise
Vice Président d'Honneur de la Société des Gens de Lettres de France

Eugène Carrière *Biographical notes*

1849	Born at Gournay, Seine-et-Marne, January 29.
	Parents: Léon Carrière (b.1815), insurance agent and Elizabeth-Marguerite Wetzel (b.1815), Rheinbischofsheim, Baden.
1851	Leon Carrière and his family live in Strasbourg.
1862	Attends the courses of the 'Strasbourg Academy', the municipal art school at the Château des Rohan.
	He wins prizes each year.
1864–7	Works with the lithographer, Auguste Munch, 6 rue Brûlée (posters, vignettes, programmes, unsigned). Also seems to have worked for another lithographer called Groskost.
1868	Leaves Strasbourg for Saint-Quentin.
	Works with the lithographer Moureau and studies at the La Tour School.
	Impressed by La Tour's pastels in the Musée Lecuyer.
1869	Paris – seeing works by Rubens in the Louvre decides him to become a painter.
	Enters Cabanel's atelier at l'Ecole des Beaux-Arts.
1870	August – Unable to reach Strasbourg, besieged by the Germans, he enlists and joins the garrison of Neuf-Brisach. Taken prisoner after the surrender of the garrison and interned at Dresden where he remains until the peace treaty is signed.
	He visits the Dresden museums.
1871	Released in March and returns to Strasbourg.
	Produces a lithograph at Auguste Munch's atelier.
1872	Moves to Paris and re-enters l'Ecole des Beaux-Arts with a grant from the Departement of Seine-et-Oise.
1872–3	Works in the atelier of Jules Chéret.
1877	Marries Sophie Desmousseaux, daughter of a Paris tanner. After obtaining a first prize for a sketch composition, he fails to gain the Prix de Rome and leaves the Beaux-Arts.
1877–8	Goes to London with his wife, works for Marcus Ward & Co and works on biblical subjects.
	Birth of his daughter, Elise (Lisbeth, Mme Jean Delvolvé).
1879	Exhibits first 'Maternité' at the Salon; it is acquired by the state (Musée Calvet, Avignon).
1881	Birth of his first son, Eugène Léon Carrière (d.1885)

1882	Birth of Marguerite (Mme Henri Roger, d. 1964).
1885	'The Sick Child' attracts notice at the Salon, gains a medal and is bought by the state.
1886	Birth of Nelly (Mme Coublié, afterwards Dumesnil).
1887	Travels to Belgium and Holland (especially to see Rembrandts) with Jean-Louis Henri Devillez, whose portrait he paints.
1888	Birth of a son, Jean-René, the sculptor.
1889	Birth of Lucie (Mme Ivan Loiseau, d. 1959). He is represented at the Exposition Universelle and made Chevalier de la Légion d'Honneur by Georges Clemenceau.
1890	Leaves the Salon des Artistes Français and associates himself with the Société Nationale des Beaux-Arts, launched under the presidency of Meissonier by Puvis de Chavannes, Bracquemond, Rodin and others.
1891	One-man exhibition with Boussod, Valadon et Cie. (Preface by Gustave Geffroy) includes his portrait of Gauguin. Takes part in March in a farewell banquet for Gauguin before his departure for Tahiti, presided over by Stéphane Mallarmé. Gauguin offers him his portrait. Exhibitions at Joyant's gallery, Bd. Montmartre and Goupil's, Bd. des Italiens. Portraits include those of Alphonse Daudet, Edmond de Goncourt, Auguste Rodin and Gustave Geffroy.
1892	A 'Maternité' acquired by the state for the Musée du Luxembourg.
1893	'La Famille' acquired for the Luxembourg. Works include a portrait of the Symbolist writer, Charles Morice. Visits Brittany.
1894–5	Lithographs for *L'Estampe Originale*.
1896	Writes the preface for the Art Nouveau exhibition at the Galerie Bing. Exhibits in Brussels, Geneva and London. First of a regular series of winter visits to Pau, which continue until 1902.
1898	Travels in Spain with Devillez.
1899	Birth of Arsène Carrière.
1898–1903	Conducts Atelier ('Académie') Carrière, Cours du Vieux-Colombier, attended by Matisse, Derain, Puy and others.
1900	Exhibition at Bernheim-Jeune, rue Laffitte.
1901	His 'Christ on the Cross' offered to the State by public subscription. In March he expounds his evolutionary thought in a lecture at the Museum of Natural History 'Man the Visionary and Reality' (published in Paris, 1903).
1902	Undergoes the first operation for cancer of the throat. Acquires a country residence at Parc Saint-Maur.

1904	Travels in Italy.
	Makes studies of the Borinage in Belgium.
	Becomes first President of the newly-founded Salon d'Automne.
	In December a banquet is held in his honour with 500 guests at the Restaurant Vautier, 8 Avenue de Clichy.
1905	Second throat operation, although in this year Carrière is still at work on portraits and decorative panels.
1906	Carrière, aged 57, dies on March 27 at his Paris home 'Villa des Arts', 15 rue Hégésippe Moreau.
	Posthumous exhibitions at the Salon de la Société Nationale and Salon d'Automne.
	Exhibition and sale of works from his studio at the Hôtel Drouot, 6–7 June.
1907	Major retrospective exhibition at the Ecole Nationale des Beaux-Arts.
1909	Exhibition at the Maison d'Art Alsacienne in Strasbourg, 6 rue Brûlée, former premises of the lithographer, Auguste Munch, comprising pictures from the Artopéus and Saint-Quentin collections (dispersed in 1914).
1916	Exhibition at Galerie Nunès et Fiquet, Paris.
1917	Exhibition at Galerie Bernheim-Jeune, Paris.
1920	Exhibition at Bernheim-Jeune.
	Second studio sale at Hôtel Drouot.
1930–1	Exhibition of the Devillez Gift to the Louvre (46 works) at the Musée de l'Orangerie.
1949–50	Exhibition at the Musée des Augustins de Toulouse to mark the centenary of Carrière's birth.
	Exhibition 'Eugène Carrière and Symbolism' at l'Orangerie, Paris.
1964	Exhibition at the Palais des Rohan, Strasbourg.
1969–70	Travelling exhibition at Allentown Art Museum, Pennsylvania: High Museum, Atlanta, Georgia; Akron Art Institute, Akron, Ohio; California Palace of the Legion of Honor, San Francisco, California; Minneapolis Institute of Arts, Minneapolis, Minnesota.
1970	Exhibition at Galerie Sun Motoyama, Tokyo

Bibliography

WRITINGS OF THE ARTIST
The published writings of Eugène Carrière are collected, together with the major part of his correspondence, in *Eugène Carrière Ecrits et Lettres choisies*, Société du Mercure de France, Paris 1906. Further writings and letters are published in Jean-René Carrière's monograph of 1966, listed below.

A selection of review articles is listed in the catalogue of the 1949 Orangerie exhibition, page 31.

ADHEMAR, Hélène and Sterling, Charles, *La peinture au Musée du Louvre – Ecole Française* XIXe *siècle*, vol. 1, Editions des Musées Nationaux, Paris 1958 (catalogues the Carrière paintings in the Louvre, Paris).

AHNNE, Paul, 'La jeunesse strasbourgeoise d'Eugène Carrière' in the catalogue of the exhibition *Eugène Carrière*, Chateau des Rohan, Strasbourg 1964.

AHNNE, Paul, 'Notes sur la jeunesse alsacienne d'Eugène Carrière' in *Trois Siècles d'Art alsacien*, Paris and Strasbourg, 1948, pp. 189–199.

ATELIER Eugène Carrière, *Catalogue de 99 oeuvres vendues à Paris*, Hotel Drouot, 8 June 1906 (containing extracts from many publications on Carrière).

BELL, N. R. F., 'Eugène Carrière' in *The Art Journal*, 1906, pp. 325–331.

BENEDITE, Léonce, 'Eugène Carrière' in *Die Graphische Künste*, 1898, vol. 21, pp. 18–20.

BERRYER, Anne-Marie, *Eugène Carrière, memoire de Doctorat de l'Université de Bruxelles*, Brussels 1936, unpublished, 2 volumes (includes a catalogue of the œuvre).

BEYER, Victor, 'Ethique et Esthétique d'Eugène Carrière', in the catalogue of the exhibition *Eugène Carrière*, Chateau des Rohans, Strasbourg 1964.

CARRIERE, Jean-René, *De la vie d'Eugène Carrière; souvenirs, lettres, pensées, documents*, Editions Privat, Toulouse 1966.

COLOMBIER, Pierre du, 'Un peintre d'origine alsacienne – Eugène Carrière' in *La vie en Alsace* 1938, pp. 22–27.

DELTEIL, Loys, *Le Peintre-Graveur illustré: Volume* VIII: *Carrière*, Paris 1913, (reprint by Da Capo Press, New York 1968).

DESJARDINS, Paul, 'Artistes contemporains: Eugène Carrière' in *Gazette des Beaux-Arts*, 1907.

DUBRAY, Jean Paul, *Eugène Carrière, essai critique*, Editions Marcel Seheur, Paris 1931.

FAURE, Elie, *Eugène Carrière, peintre et lithographe*, H. Floury, Paris 1908.

FLORISOONE, Michel, 'Eugène Carrière et le symbolisme', Introduction to the catalogue of the centenary exhibition, Musée de l'Orangerie, Paris 1949–50.

GEFFROY, Gustave, *L'Oeuvre de Eugène Carrière*, H. Piazza, Paris 1902.

GEFFROY, Gustave, 'Souvenirs d'Eugène Carrière' in *Les Arts* April 1906, pp. 1–11.

GEFFROY, Gustave, 'Eugène Carrière, peintre de portraits' in *L'Art et les Artistes*, May 1906.

HIRSCH, Richard, 'And Where is the Famous Eugène Carrière?' in *Art News* vol. 67 no. 6, pp. 52–58.

HUYGHE, Réné, 'Les Carrière de la donation Devillez' in *Bulletin des Musées* 1930, pp. 260–262.

HUYGHE, Réné, 'Carrière et la donation Devillez' in *Beaux-Arts* December 1930, pp. 3–4.

KARAGEORGEVITCH, Bojidar, 'The later works of Eugène Carrière' in *The Magazine of Art* 1902, vol. 26, pp. 449–453.

LE BOUTILLIER, I. G., 'Eugène Carrière' in *The Scrip* 1906, vol. 1, pp. 387–389

MAUCLAIR, Camille, 'Idées sur Eugène Carrière' in *Art et décoration* February 1906.

MAUCLAIR, Camille, 'L'âme d'Eugène Carrière, à propos d'un livre sur lui' in *L'art décoratif* May 1902.

MORHARDT, Matthias, 'Eugène Carrière' in *The Magazine of Art* 1898, vol. 22, pp. 553–558.

MORICE, Charles, *Eugène Carrière: l'homme et sa pensée; l'artiste et son oeuvre*, Société du Mercure de France, Paris 1906.

OULMONT, Charles, 'Il y a cent ans naissait Carrière' in *Arts*, 28 January 1949.

OULMONT, Charles, 'Sur Eugène Carrière', in the catalogue of the exhibition *Eugène Carrière*, Chateau des Rohan, Strasbourg 1964.

OULMONT, Charles, 'Sur Eugène Carrière: Documents Inédits' in *Gazette des Beaux Arts*, May–June 1965, pp. 355–358.

PIERQUIN, H., 'Eugène Carrière, la sensibilité et l'expression de son art' in *L'Art et les Artistes*, November 1930, pp. 37–40.

SEAILLES, Gabriel, *Eugène Carrière, l'homme et l'artiste*, Edouard Pelletan, Paris 1901.

SEAILLES, Gabriel, Preface to catalogue of the Carrière retrospective exhibition Palais de l'Ecole Nationale des Beaux-Arts, Paris 1907.

SEAILLES, Gabriel, *Eugène Carrière, essai de biographie psychologique*, Librairie Armand Colin, Paris 1911 (second edition 1923).

TENDRON, Marcel, 'Eugène Carrière et Auguste Rodin' in *Les Arts* 1918–19, vol. 15 no. 180, pp. 19–23.

TOPASS, Jan, 'Eugène Carrière' in *Art in America* 1927, vol. 16, pp. 254–259.

1 La Couseuse au chat (Madame Carrière) c. 1876
Interior with woman sewing and cat

6   Portrait d'un homme c. 1880–85
    Portrait of a man

11　Portrait de Léon　1883

14   Portrait de Madame Carrière c. 1883

17   Portrait de jeune fille (Lucie) c. 1885–90
Portrait of a young girl

20 Marguerite c. 1886

24　Madame Jean Hugo (née Mlle Pauline Ménard-Dorion) c. 1888

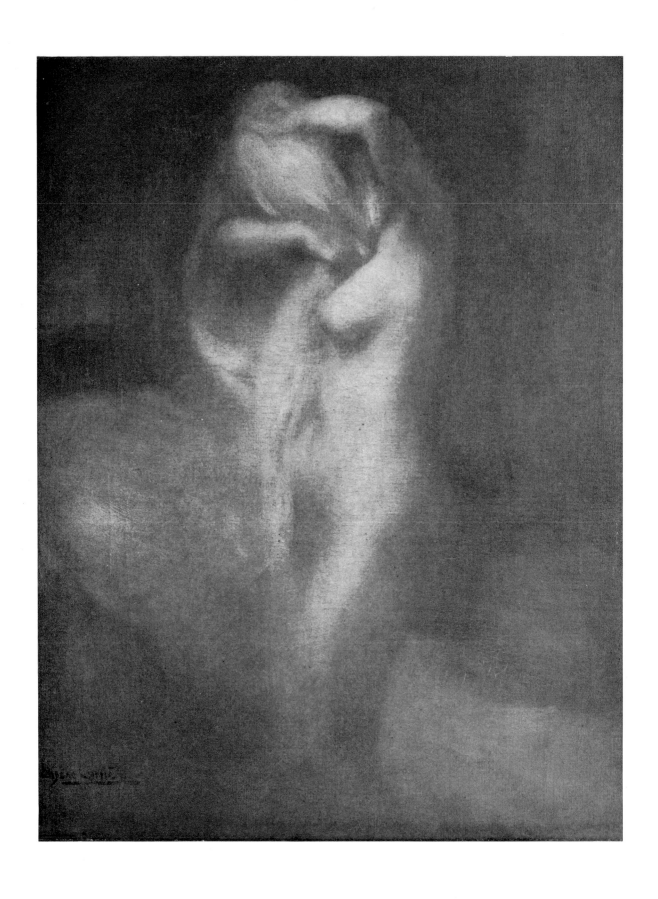

25 Nu de profil c.1888
Nude in profile

26   La Timbale (Mme Carrière et Jean-René) c. 1888–90
     The mug

29   Nu de dos c. 1890
Nude, back view

37　Portrait d'Elise　c. 1893–96

40   Madame Carrière avec son chien Farot c. 1895
     Madame Carrière with her dog Farot

41 Autoportrait c. 1895
Self-portrait

42   Christ en croix c. 1896
Christ on the cross

43 Paysage aux environs de Pau 1897
Landscape near Pau

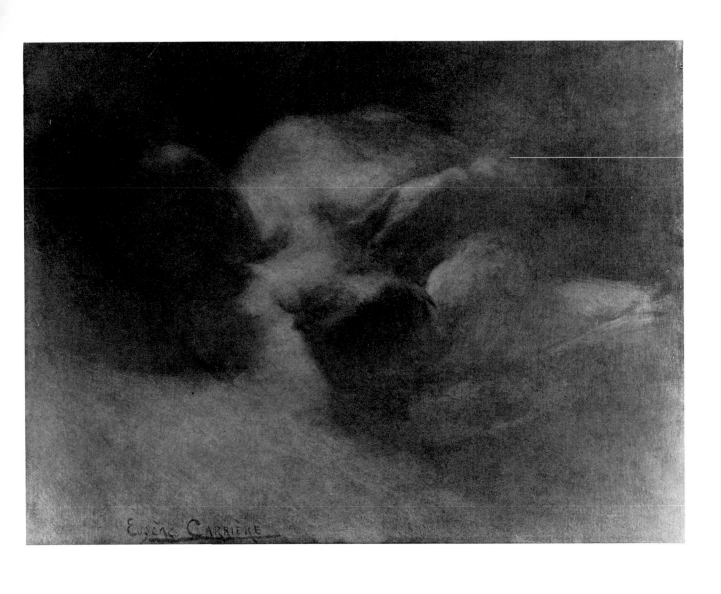

47　Maternité (Etude pour le Sommeil)　c. 1899–1900
Mother and child (Study for Sleep)

48   Portrait de jeune femme (Lucienne Breval) c. 1899
      Portrait of young woman

50   Rodin sculptant 1900
      Rodin at work

54   Autoportrait c. 1900
Self-portrait

55 Portrait d'Elise Carrière c. 1900

59   Autoportrait c. 1900
     Self-portrait

63　Portrait de Nelly　c. 1902

66 Madame Elise Delvolvé et sa fille 1904
Madame Elise Delvolvé and her daughter

Catalogue *All the works are oil on canvas unless otherwise stated*

1 *Illustrated page 41*
   La Couseuse au chat (Madame Carrière)
   c.1876
   Interior with woman sewing and cat
   15¾ x 12⅝ in / 40 x 32 cm
   Signed lower right

2 Trois études d'un bébé c.1878–80
   Three studies of a baby
   4¾ x 13 in / 12 x 33 cm
   Watercolour

3 L'Accueil 1879
   Baby reaching for its mother
   9½ x 15¾ in / 24 x 40 cm
   Signed lower right

4 Femme à une table c.1880–85
   Woman at a table
   6¾ x 9⅞ in / 17 x 25 cm
   Watercolour
   Signed lower right

5 Femme à une table c.1880–85
   Woman at a table
   12¾ x 16⅛ in / 32.5 x 41 cm
   Signed lower left

6 *Illustrated page 42*
   Portrait d'un homme c.1880–85
   Portrait of a man
   13½ x 10 in / 34 x 25.4 cm
   Signed lower left

7 Maternité c.1880–85
   Mother and child
   16⅜ x 13 in / 41.5 x 33 cm
   Signed lower left

8 Quatre études pour un paysage c.1880–85
   Four studies for a landscape
   8¼ x 13⅜ in / 21 x 34 cm
   Watercolour

9 Portrait de Léon c.1882–83
   17¾ x 14¼ in / 45 x 36 cm
   Signed lower left

10 *Illustrated in colour page 19*
   Enfants jouant (Léon et Marguerite) 1883
   Children playing
   8⅜ x 12¾ in / 21 x 32.5 cm
   Signed lower left

11 *Illustrated page 43*
   Portrait de Léon 1883
   6¼ x 4⅛ in / 16 x 10.5 cm
   Signed lower right

12 Le petit Pierre 1883
   21⅝ x 18⅛ in / 55 x 46 cm
   Signed, inscribed and dated upper left

13 Bébé au hochet (Marguerite) c.1883
   Baby with rattle
   12⅝ x 13⅜ in / 32 x 34 cm

14 *Illustrated page 44*
   Portrait de Madame Carrière c.1883
   18½ x 15 in / 47 x 38 cm
   Signed lower right

15 Nature morte à la théière 1884
   Still life with teapot
   10⅝ x 13¾ in / 27 x 35 cm
   Oil on carton
   Signed lower right

16 Tête de femme (Marguerite) c. 1885
   Head of woman
   11½ x 15⅜ in / 29 x 39 cm
   Signed lower left

17 *Illustrated page 45*
Portrait de jeune fille (Lucie) c. 1885–90
Portrait of a young girl
16⅛ x 13 in / 41 x 33 cm
Signed lower right

18 La Toilette 1886
Woman dressing
9⅞ x 6½ in / 25 x 16.5 cm
Oil on carton

19 *Illustrated in colour on cover*
Enfant avec poupée (Marguerite) 1886
Child with doll
17¾ x 14¾ in / 45 x 37.5 cm
Signed lower left

20 *Illustrated page 46*
Marguerite c. 1886
13¾ x 10⅞ in / 35 x 27.5 cm
Signed top right

21 Enfant lisant (Marguerite) c. 1886
Child reading
22⅞ x 28½ in / 58 x 72.5 cm
Signed lower left

22 *Illustrated in colour page 10*
Enfant avec pomme (Marguerite) c. 1886
Child with apple
19¾ x 24 in / 50 x 61 cm
Signed lower left

23 Portrait de Roger-Marx 1888
18⅛ x 15⅛ in / 46 x 38.5 cm

24 *Illustrated page 47*
Madame Jean Hugo (née Mlle Pauline
Ménard-Dorion) c. 1888
18⅛ x 10⅞ in / 46 x 27.5 cm
Signed lower left

25 *Illustrated page 48*
Nu de profil c. 1888
Nude in profile
28¾ x 23¼ in / 78 x 59 cm
Signed lower left

26 *Illustrated page 49*
La Timbale (Mme Carrière et Jean-René)
c. 1888–90
The mug
22½ x 28½ in / 57 x 72.4 cm
Signed lower left

27 Paysage de Bretagne 1890
Breton landscape
13⅜ x 16 in / 34 x 40.5 cm
Signed lower right

28 Portrait de Rochefort c. 1890
18⅛ x 15 in / 46 x 38 cm
Signed lower right

29 *Illustrated page 50*
Nu de dos c. 1890
Nude, back view
24¼ x 20 in / 61.5 x 51 cm

30 Bébé (Jean-René) c. 1890
9⅞ x 7½ in / 25 x 19 cm
Signed lower left

31 Portrait de Goncourt 1891
44⅞ x 24¼ in / 114 x 87 cm
Signed lower right

32 La Rieuse (Elise) c. 1892
Smiling woman
16⅛ x 13 in / 41 x 33 cm
Signed lower right

33 Mère avec son enfant (Marguerite) c. 1892
Mother and child
15 x 12 in / 38 x 30.5 cm
Signed and inscribed lower left

34 Profil d'Elise c. 1892
13¾ x 10⅝ in / 35 x 27 cm
Signed lower left

35 Famille (Mme Carrière, Elise et Léon)
c. 1893
41½ x 37 in / 105.5 x 94 cm

36 Mélancolie (Mme Carrière) c. 1893
20⅞ x 17¾ in / 53 x 45 cm
Signed lower left

37 *Illustrated page 51*
Portrait d'Elise c.1893–96
76¾ x 29⅞ in / 195 x 76 cm

38 Lucie au médaillon c.1894
Lucy with locket
15½ x 12⅜ in / 39.5 x 31.5 cm
Signed lower left

39 Maternité (Souffrance) c.1894
Mother and child (Suffering)
31 x 25 in / 78.7 x 63.5 cm

40 *Illustrated page 52*
Madame Carrière avec son chien Farot
c.1895
Madame Carrière with her dog Farot
81⅞ x 45⅝ in / 208 x 116 cm
Signed lower right

41 *Illustrated page 53*
Autoportrait c.1895
16 x 13 in / 41 x 33 cm

42 *Illustrated page 54*
Christ en croix c.1896
Christ on the cross
17 x 12¼ in / 43 x 31 cm
Pastel on paper
Signed lower right

43 *Illustrated page 55*
Paysage aux environs de Pau 1897
Landscape near Pau
10 x 13¼ in / 25.5 x 33.5 cm
Signed lower right

44 Portrait d'Elise c.1898
13¾ x 10½ in / 35 x 37 cm
Signed lower left

45 Tête de femme (Nelly) c.1898
Head of a woman
16⅛ x 13 in / 41 x 33 cm
Signed lower right

46 La Songeuse (Elise) c.1899
The Dreamer
24 x 19¾ in / 61 x 50 cm
Signed lower left

47 *Illustrated page 56*
Maternité (Etude pour le Sommeil)
c.1899–1900
Mother and child (Study for Sleep)
21 x 28 in / 53.3 x 71 cm
Signed lower left

48 *Illustrated page 57*
Portrait de jeune femme (Lucienne Breval)
c.1899
Portrait of young woman
25¼ x 21¼ in / 65 x 54 cm
Signed lower right

49 Elise au chapeau c.1899
Elise with hat
25⅝ x 17¾ in / 65 x 45 cm
Signed lower right

50 *Illustrated page 58*
Rodin sculptant 1900
Rodin at work
16 x 13 in / 41 x 33 cm
Signed lower right

51 Madame Eugène Carrière 1900
26 x 21⅝ in / 66 x 55 cm
Signed and dated lower right

52 Fantine (from 'Les Misérables') 1900
17⅛ x 8½ in / 43.5 x 21.5 cm
Signed lower left

53 Bébé suçant son pouce c.1900
Baby sucking its thumb
13 x 16⅛ in / 33 x 41 cm
Signed lower centre

54 *Illustrated page 59*
Autoportrait c.1900
17¾ x 13 in / 45 x 33 cm
Signed and inscribed lower left

55 *Illustrated page 60*
Portrait d'Elise Carrière c.1900
18⅛ x 15 in / 46 x 38 cm
Signed and inscribed lower left

56 Maternité (Arsène) c.1900
Mother and child
15 x 18⅛ in / 38 x 46 cm
Signed lower right

57 Le Mineur c.1900
The miner
16⅛ x 13 in / 41 x 33 cm
Signed lower right

58 Portrait de Lisbeth Carrière c.1900
18⅛ x 15⅛ in / 46 x 38.5 cm
Signed lower left

59 *Illustrated page 61*
Autoportrait c.1900
16⅛ x 13 in / 41 x 33 cm
Signed lower left

60 La Bécquée (Arsène) c.1900–01
Mother and child
16¼ x 13 in / 41.3 x 33 cm
Signed lower right

61 Madame Eugène Carrière aux bagues 1901
Madame Eugène Carrière with rings
18¼ x 15⅛ in / 46.5 x 38.5 cm
Signed lower left

62 Portrait de Jean Delvolvé 1902
18⅛ x 15 in / 46 x 38 cm
Signed lower left

63 *Illustrated page 62*
Portrait de Nelly c.1902
18½ x 15⅛ in / 47 x 38.5 cm
Signed lower right

64 Portrait de femme (une actrice) 1903
Portrait of a woman (an actress)
21⅝ x 18⅛ in / 55 x 46 cm
Signed and dated lower left

65 Portrait du Banquet 1903
Self-portrait painted on occasion of
banquet given in his honour
18⅛ x 15 in / 46 x 38 cm
Signed lower right

66 *Illustrated page 63*
Madame Elise Delvolvé et sa fille 1904
Madame Elise Delvolvé and her daughter
24 x 19¾ in / 61 x 50 cm
Signed and dated upper right

67 Portrait de Nelly Carrière 1905
21¾ x 18⅛ in / 55 x 46 cm
Signed and dated lower left

Marlborough Fine Art (London) Ltd
39 Old Bond Street   London WIX4BY

Agents for:
Craigie Aitchison
Michael Andrews
Kenneth Armitage
Frank Auerbach
Francis Bacon
Lynn Chadwick
Lucian Freud
Günter Haese
Barbara Hepworth
Oskar Kokoschka
Bruce Lacey
Colin Lanceley
Richard Lin
Lucebert
Matschinsky-Denninghof
Henry Moore
Sidney Nolan
Victor Pasmore
Roland Piché
John Piper
Paul Rebeyrolle
Ceri Richards
Edward Seago
Colin Self
Jack Smith
Graham Sutherland
Joe Tilson
Keith Vaughan
Brett Whiteley
The Estate of Willi Baumeister
The Estate of David Bomberg
The Estate of Kurt Schwitters

Marlborough Gallery Inc
41 Eeast 57th Street   New York

Agents for:
Allan D'Arcangelo
Mordecai Ardon
Herbert Bayer
Naum Gabo
Juan Genovés
Adolph Gottlieb
Philip Guston
R B Kitaj
Lee Krasner
Jacques Lipchitz
Seymour Lipton
Conrad Marca-Relli
Gerhard Marcks
Robert Motherwell
Beverly Pepper
Larry Rivers
James Rosati
Mark Rothko
Julius Schmidt
Jesus Raphael Soto
Michael Steiner
Clyfford Still
James Wines
Fritz Wotruba
The Estate of William Baziotes
The Estate of Lyonel Feininger
The Estate of Franz Kline
The Estate of John Marin
The Estate of Johnson Pollock
The Estate of Ad Reinhardt
The Estate of David Smith

Marlborough Galleria d'Arte
via Gregoriana 5   Rome

Agents for:
Piero Dorazio
Achille Perilli
Arnaldo Pomodoro
Toti Scialoia
The Estate of Spazzapan
The Estate of Fontana
The Estate of Ettore Colla
The Estate of Gastone Novelli

Some Museums and Public Institutions which have purchased Works of Art from the various Marlborough Galleries

In Europe and other countries

Aberdeen Art Gallery
Stedelijk Museum, Amsterdam
Kunstmuseum, Basle
Cecil Higgins Museum, Bedford
Ulster Museum, Belfast
Galerie des 20. Jahrhunderts, Berlin
Staatsgalerie, Berlin-Dahlem
Kunsthaus, Berne
The Barber Institute, Birmingham
City Museum and Art Gallery, Birmingham
Städtische Kunstgalerie, Bochum
Museum and Art Gallery, Bolton
Kunsthalle, Bremen
City Art Gallery, Bristol
Musée des Beaux Arts, Brussels
Fitzwilliam Museum, Cambridge
National Museum of Wales, Cardiff
Municipal Museum of Modern Arts, Carrara
Wallraf-Richartz-Museum, Cologne
Hessisches Landesmuseum, Darmstadt
National University Museum, Dublin
Wilhelm-Lehmbruck-Museum der Stadt Duisburg
Kunstsammlung Nordrhein-Westfalen, Düsseldorf
Scottish National Gallery of Modern Art, Edinburgh
Folkwang Museum, Essen
Konstmuseum, Gothenburg
Niedersächische Landesgalerie, Hanover
Gemeente Museum, The Hague
Kunsthalle, Hamburg
Konsthall, Helsinki
Marie-Louise and Gunnar Didrichsen Art Foundation, Helsinki
Ferens Art Gallery, Hull
Staatliche Kunsthalle, Karlsruhe
City Art Gallery, Leicester
Städtisches Museum, Leverkusen
The National Gallery, London
The Stuyvesant Foundation, London
The Tate Gallery, London
The Victoria and Albert Museum, London
Whitworth Art Gallery, Manchester
Felton Bequest, Melbourne
Bayrische Staatsgemäldesammlungen, Munich
Laing Art Gallery, Newcastle
Kröller-Müller Museum, Otterlo
Musée Nationale d'Art Moderne, Paris
Galleria Nazionale d'Arte Moderne, Rome
Museum Boymans-van Beuningen, Rotterdam
Moderna Museet, Stockholm
Staatsgalerie, Stuttgart
Musée de Beaux Arts la Chaux de Fonds, Switzerland
Museo Civico, Venice
Albertina, Vienna
Österreichische Galerie, Belvedere, Vienna
Museum des 20. Jahrhunderts, Vienna
The Western Australian Art Gallery, Perth
National Gallery of New Zealand, Wellington
Von der Heydt-Museum, Wuppertal
Kunsthaus, Zürich

In the USA and Canada

University of Massachusetts, Amherst
University Art Museum, University of California, Berkeley
Rose Art Museum, Brandeis University
Albright-Knox Art Gallery, Buffalo
Baltimore Museum of Art
Weatherspoon Art Gallery, University of North Carolina
The Art Institute of Chicago
Lannan Foundation, Chicago
Ohio State University, Columbus
Irwin Sweeney Miller Foundation, Columbus
The Cleveland Museum of Art
Dallas Museum of Fine Arts
Dayton Art Institute, Ohio
Denver Art Museum
Detroit Institute of Fine Arts
Beaverbrook Foundation, Fredericton, New Brunswick
Southern Illinois University
Herron Museum of Art, Indianapolis
Kalamazoo Institute of Arts
William Rockhill Nelson Gallery of Art, Kansas City
Los Angeles County Museum, California
The Currier Gallery of Art, Manchester, New Hampshire
Memphis State University
Minneapolis Institute of Arts
Walker Art Center, Minneapolis
Montreal Museum of Fine Arts
The Isaac Delgado Museum of Art, New Orleans
American-Israel Cultural Foundation, New York City
Lincoln Center for Performing Arts, New York City
Museum of Modern Art, New York City
The Charles Rand Penney Foundation, Olcott, New York
Solomon R. Guggenheim Foundation, New York City
Whitney Museum of American Art, New York City
Joslyn Art Museum, Omaha
The Art Gallery of Ontario
Pasadena Museum of Art
The Museum of Art, Carnegie Institute, Pittsburgh
Princeton University Art Gallery
City Art Museum of St. Louis, Missouri
San Francisco Museum of Art
Santa Barbara Museum of Art
Museu de São Paulo
The North Carolina Museum of Art, Raleigh
Ringling Museum of Art, Sarasota
Toledo Museum of Art, Ohio
Munson-Williams-Proctor Institute, Utica
Corcoran Gallery, Washington, DC
The Phillips Collection, Washington, DC
Colby College Art Museum, Waterville, Maine
Yale University Art Gallery, New Haven
The Norton Simon Foundation, Fullerton, California
The Meadows Foundation, Dallas, Texas
Hirshhorn Collection, New York City

Some past exhibitions of interest organised by the Marlborough Galleries

Marlborough Fine Art (London) Ltd

1951 Complete Collection of Degas Bronzes
1952 Theodore Géricault
1953 Gustave Courbet
1953 Mary Cassat
1954 Roussel, Bonnard, Vuillard
1954 Claude Monet
1955 Benatov
1955 Picasso Drawings and Bronzes
1955 Pissarro, Sisley
1955 Fernand Léger
1956 Renoir
1956 Constantin Guys
1956 Gleizes
1957 Henri Laurens
1958 Juan Gris
1958 Paul Signac
1958 Boudin
1959 Art in Revolt, Germany, 1905–25
1960 James Ensor
1960 E W Nay
1960 Francis Bacon
1960 Van Gogh Self Portraits
1960 Matthieu
1961 Moholy Nagy
1961 Henry Moore Stone and Wood Carvings
1962 Painters of the Bauhaus
1962 Van Gogh's Life in his Drawings and his Relationship with Signac
1962 Fantin-Latour
1962 André Masson
1962 Vantongerloo
1963 Lucian Freud
1963 Kurt Schwitters
1963 Corot
1963 Francis Bacon and Henry Moore
1964 Mark Rothko
1964 John Piper
1964 Keith Vaughan
1964 Egon Schiele
1965 Art in Britain 1930–40
1965 Kenneth Armitage
1965 Francis Bacon and Henry Moore
1965 Ceri Richards
1965 Gustav Klimt
1965 Günter Haese
1966 Piero Dorazio
1966 Joe Tilson
1966 Richard Lin
1966 Lucebert
1966 Joan Miró
1966 Victor Pasmore
1966 Klee and Nolde

1966 Graham Sutherland and Henry Moore Shelter Sketch Book 1940–42
1966 Lynn Chadwick
1966 Kandinsky and his Friends
1967 Frank Auerbach
1967 Juan Genovés
1967 Francis Bacon
1967 Roland Piché
1967 Paul Maze and his Friends
1967 Ben Nicholson
1967 Henry Moore Carvings
1967 Brett Whiteley
1967 Barlach and Kollwitz
1967 Helen Lessore and the Beaux Arts
1968 Lucian Freud
1968 Graham Sutherland A Bestiary
1968 Sidney Nolan
1968 Pissarro in England
1968 Feininger and Moholy Nagy
1968 Herbert Bayer
1968 Ben Nicholson
1968 Edward Seago
1969 William Utermohlen
1969 Egon Schiele
1969 Oskar Kokoschka
1969 Victor Pasmore
1969 Brauer
1969 Inaugural Exhibition on board the Queen Elizabeth 2
1969 John Piper
1969 Munch and Nolde
1969 European Masters
1970 Alex Colville
1970 Barbara Hepworth

Marlborough Gallery Inc   New York

1964 Alberto Burri
1964 Fritz Wotruba
1964 Jackson Pollock
1964 Mondrian, de Stijl and their impact
1964 Rebeyrolle
1964 David Smith
1965 Sidney Nolan
1965 R B Kitaj
1965 Seymour Lipton
1965 Ben Nicholson
1965 Arnaldo Pomodoro
1966 Adolph Gottlieb
1966 Wassily Kandinsky
1966 Jacques Lipchitz
1966 Barbara Hepworth
1966 Yaacov Agam
1966 Julius Schmidt and Peter Stroud
1966 Oskar Kokoschka

1966 Henri Laurens
1967 Lucio Fontana
1967 Franz Kline
1967 Ardon
1967 Gio Pomodoro
1967 Pietro Consagra
1967 Victor Pasmore
1967 Juan Genovés
1968 Lipchitz The Cubist Period
1968 International Expressionism
1968 Brett Whiteley
1968 Barlach and Kollwitz
1968 Francis Bacon
1969 Beverly Pepper and Piero Dorazio
1969 Jackson Pollock
1969 Lyonel Feininger
1969 Robert Motherwell
1969 Frank Auerbach
1969 Jesus Raphael Soto
1969 Clyfford Still
1970 Morton D. May Collection of 20th Century German Masters
1970 Marca-Relli

Marlborough Galleria d'Arte   Rome

1962 Jackson Pollock
1963 Alberto Burri
1963 Jean Dubuffet
1964 Emilio Vedova
1964 Gio Pomodoro
1964 Lucio Fontana
1964 Kurt Schwitters
1964 Piero Dorazio
1965 Arnaldo Pomodoro
1965 Oskar Kokoschka
1965 Henry Moore
1965 Giulio Turcato
1965 Beverly Pepper
1966 Klimt-Schiele
1966 Luigi Spazzapan
1966 Toti Scialoia
1966 Gastone Novelli
1967 Pietro Consagra
1967 Giacomo Manzù
1967 Ben Nicholson
1967 Joe Tilson
1967 Achille Perilli
1968 Beverly Pepper
1968 Richard Lin
1968 Jesus Raphael Soto
1968 Piero Dorazio
1969 Graham Sutherland
1969 Juan Genovés
1969 Robert Motherwell

Cat. no. 271
Typography by B. de Does
Printed in the Netherlands by
Joh. Enschedé en Zonen, Haarlem